Un album pour apprendre à lire

Les aventures du petit pirate

Illustrations de Markus Grolik
Texte de Ingrid Uebe
Traduction de Sabine Boccador

Ravensburger Buchverlag

Un petit  vivait autrefois

dans une jolie petite  au bord

de la  . Lorsque le

 se levait, il partait en

sur les  . Avec sa ,

il voyait dans le ciel des

 et dans l'eau des  .

Mais jamais le petit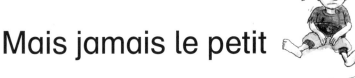

ne voyait les grands

dont il rêvait.

Un jour le petit  se dit :

« Si j'allais en haute pour

voir les grands  !

Un vrai  n'a peur de rien. »

Mais le se leva et se coucha

et le petit était encore

près de sa . Difficile

d'aller en  tout seul !

Le soir, assis devant sa ,

il regardait tristement la  .

« Qui veut partir sur mon  ?

Qui m'accompagne en haute ? »

Sur le de la vivait

une qui l'entendit.

L'entendirent aussi un  du haut

de son  et

une gracieuse  sur son  .

« Je pars avec toi ! » dit la .

« Moi aussi ! » dit le   .

« Moi aussi ! » dit l'  .

« Formidable ! » dit le petit .

Quand le se leva, les  amis

partirent sur le  . Bientôt, au

loin, la  ne fut qu'un point et

seuls les gros  et les

leur tenaient compagnie.

Mais le petit  n'avait pas

du tout peur. L'  s'était

endormie et le

dans le  rêvait les

au  .

Plus haut encore la  volait

de ses blanches autour

du  . En fait, le petit

avait presque oublié pourquoi il était

parti en  .

Soudain, le  hurla : « Grands

 en vue ! »

« Oui, oui, oui ! » cria la  .

« Où ça ? » demanda l'  .

Le petit  s'empara vite de sa .

Se rapprochait en effet le plus grand

 qu'il ait jamais vu !

Son se mit à battre vite.

Mais le grand  passa devant

le petit  sans s'arrêter.

Peu de temps après, le  cria :

« Jolie  en vue ! »

« Oui, oui, oui ! » cria la  .

« Où ça ? » demanda l'  .

Le petit fit des   ronds :

devant son nageait une

belle  . Elle l'invita.

Aussitôt le petit  voulut plonger

dans la  . Mais le

et l'  l'en empêchèrent.

« Viens donc, petit  ! » appela

la  en lui offrant ses

 blanches. « Viens avec moi !

Les grands  au fond de la

 feront ta fortune. »

Le petit  soupira : « Jolie

, tu me plais beaucoup.

Mais que ferait un petit  au fond

de la ?

Je reste sur mon . »

« Dommage ! » dit la .

Et comme son battait pour lui,

elle lui offrit une belle en or,

trouvée sur les grands

au fond de la .

Le petit  la remercia

et accrocha la belle  en or

à son  . La salua

et plongea dans la  .

Le  poursuivit sa route.

C'est alors que de gros

noirs masquèrent le  . Puis il y

eut des  , suivis par une grosse

 . Un terrible  se

leva et souleva les  .

Le petit désespéré leva

les . Une énorme

submergea le  ,

brisa le  et déchira

la . Le  coula.

Quelques flottaient

encore. La  se posa sur

la première. Le  grimpa

sur la seconde.

L'  se hissa sur la troisième.

Le petit  attrapa une ,

sa 🔭 et une 🪢 qu'il serra dans

ses ✋ . Puis le calme succéda

au ☁️ . Les 4 amis soufflèrent.

« Sauvés ! » cria le petit 🧒 .

Il noua la  et les trois

 avec la  .

Avec les plus petites  il fit

une  . Et il rama longtemps dos

au tandis que la

faisait le guet. Ils atteignirent

une très belle  .

Le  se rejouit des  ,

la , des

et l'  des ● ● ● ● .

Sur l'  vivait un

terrible .

Il cracha du quand il les vit.

« Allez-vous-en ! Ce n'est pas l'

aux ici ! » grogna-t-il.

« Ah ! gentil , supplia le

petit , nous ne pouvons repartir

en . Nos pauvres

se briseraient. S'il te plaît,

prête-nous ton ! »

Le  demanda :

« Que me donnes-tu en échange ? »

« Ma belle ». Le petit

ôta la et le

s'empressa de l'attacher à sa  .

« Et vous ? demanda le  aux

autres. Avez-vous aussi des ? »

« Non, dit le  , mais toutes

ces  , je peux te les cueillir.

« Moi, dit la  , je pêche les  .

« Moi, dit l' , je peux faire

danser une sur mon .

Cela plut au 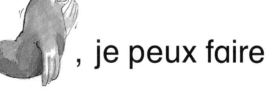 qui les

laissa entrer sur son  .

Quand le disparut à l'horizon,

il alluma un joli  .

Ils s'assirent tous autour et

mangèrent des  et ensuite

des . Enfin l'

fit danser une sur son .

Cela fit rire le  .

Le petit  dit : « Rien au

 n'est plus beau que

cette  sur la 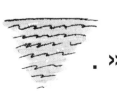 . »

Les mots correspondant aux images :

pirate

poisson

maison

bateau

mer

soleil

vent

porte

voilier

lune

vague

toit

lunette

singe

mouette

palmier

 otarie

 bras

 rocher

 chaîne

 quatre

 cou

 nuage

 éclair

 nid-de-pie

 pluie

 oreille

 main

 aile

 mât

 cœur

 voile

 sirène

 planche

 œil

 bouée

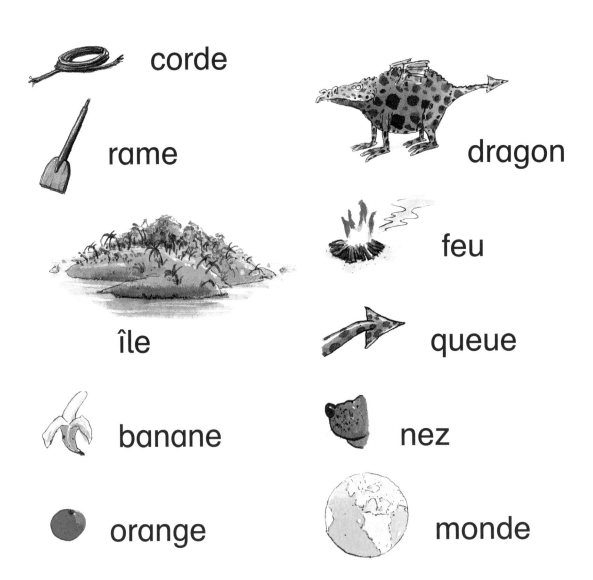

corde

rame

dragon

feu

île

queue

banane

nez

orange

monde

Illustrations : Markus Grolik
Texte : Ingrid Uebe
Traduction : Sabine Boccador
Titre original allemand : *Die Abenteuer des kleinen Piraten*
© 1997, 2001 Ravensburger Buchverlag Otto Maier GmbH
D-88188 Ravensburg
Imprimé en Allemagne
ISBN 3-473-82276-0